Ἑρμῆς

πάντα

κλέπτει

an Ancient Greek novella

by John Foulk

Ἑρμῆς πάντα κλέπτει

τοῖς γελοίοις μαθηταῖς

Προοίμιον

When I first read *Homeric Hymn 4 to Hermes* with the intention to translate and adapt it for Parkview High School's Latin II classes, I expected the solemnity of a hymn and the familiar myth of Hermes stealing Apollo's cattle. What I read instead was a wonderfully wacky tale about a mischievous newborn with super powers! I immediately wondered why this compelling story - featuring a superhuman baby, tons of trickery, and bodily functions - was not as commonly taught as other myths. Thus I was inspired to write this novella.

My ancient sources of Ἑρμῆς πάντα κλέπτει are largely the aforementioned *Homeric Hymn 4 to Hermes* and Lucian's *Dialogues of the Gods* 11. The novella references to a lesser degree Pseudo-Apollodorus' *Bibliotheca* and Philostratus the Elder's *Imagines*. Other helpful sources include Pseudo-Hyginus' *Astronomica* and Ovid's *Metamorphoses* and *Fasti*.

Ἑρμῆς πάντα κλέπτει contains 2,225 total words and 263 unique words, including glossed words and proper nouns, from 101 lemmata (forms of εἰμί are considered forms of ἔρχομαι). The novella is intended for first-year novice readers. I have used vocabulary attested in prose authors (e.g. Thucydides, Plato, and Xenophon), but have not sought to imitate any author's prose style. Where my own prose style differs from the preferences of classical authors, I have done so for creative effect and/or for the ease of the novice reader. Some examples of this include the sporadic use of elision and Hermes' childlike emphatic use of personal pronouns.

I owe great thanks to my colleagues Rachel Ash, Elizabeth Davidson, Miriam Patrick, Bob Patrick, and Keith Toda for their encouragement, mentorship, and camaraderie. Thanks to Seumas Macdonald for his insightful feedback on the Greek version and for his leadership in making Ancient Greek accessible and comprehensible to all. Thanks to Bob Patrick and Christopher Buczek for their helpful feedback on the Latin version of the novella. Any remaining errors are all my own.

Thanks to Mahkeda Kellman for bringing my vision to life through her illustrations. To see more of her work, check out her Instagram @emk_illustrations. Last but not least, I would like to thank my students.

John Foulk

Πίναξ Λόγων

α´

Ἑρμῆς καὶ χελώνη

τήμερον παιδίον τι ἐγένετο. τοῦτο δὲ
τὸ παιδίον ἐστὶν ὁ υἱὸς Διὸς καὶ Μαίας.
ἡ μὲν γὰρ Μαῖά ἐστιν ἡ μήτηρ τοῦ παιδίου.
ὁ δὲ Ζεύς ἐστιν ὁ πατὴρ τοῦ παιδίου. καὶ
ὁ Ζεύς ἐστιν ὁ τῶν θεῶν βασιλεύς.

τὸ δὲ παιδίον ἐστὶ θαυμαστόν. βαδίζειν μὲν γὰρ τὸ παιδίον δύναται. διαλέγεσθαι δὲ τὸ παιδίον δύναται. ᾄδειν δὲ τὸ παιδίον δύναται. Ἑρμῆς δέ ἐστι τῷ παιδίῳ ὄνομα.

τήμερον δὲ ὁ Ἑρμῆς ἐγένετο ἐν τῷ ὄρει τῇ Κυλλήνῃ. καὶ ἡ μήτηρ μὲν οἰκεῖ μετὰ τοῦ Ἑρμοῦ. ὁ δὲ πατὴρ οὐκ οἰκεῖ μετὰ τοῦ Ἑρμοῦ. ὁ γὰρ Ζεὺς οἰκεῖ ἐν τῷ Ὀλύμπῳ ὄρει.

ὁ δὲ Ἑρμῆς ἐστι θαυμαστὸν παιδίον. ἰέναι[1] μὲν οἴκοθεν βούλεται ὁ Ἑρμῆς. διαλέγεσθαι δὲ βούλεται ὁ Ἑρμῆς. ᾄδειν δὲ βούλεται ὁ Ἑρμῆς. ἀλλὰ καὶ κλέπτειν βούλεται ὁ Ἑρμῆς.

---

[1] **ἰέναι** - to go

οἴκοθεν δὲ ἰών², ὁ Ἑρμῆς λανθάνει τὴν
μητέρα.

Ἑρμῆς·
    "ἐγὼ βούλομαι οἴκοθεν ἰέναι!
    κἀγὼ³ βούλομαι κλέπτειν!"

ὁ οὖν Ἑρμῆς ὁρᾷ χελώνην.

Ἑρμῆς·
    "ἐγὼ ὁρῶ χελώνην!
    τὴν δὲ χελώνην ἐγὼ βούλομαι ἔχειν!"

τὴν δὲ χελώνην ὁ Ἑρμῆς κλέπτει.

---

² **ἰών** - (while) going

³ **κἀγώ** = καί + ἐγώ

Ἑρμῆς·

  "ἐγὼ βούλομαι ᾄδειν!"

ὁ οὖν Ἑρμῆς τὴν χελώνην ἀποκτείνει.

Ἑρμῆς·

  "ἐγὼ βούλομαι ᾄδειν!"

ἐκ δὲ τῆς χελώνης ὁ Ἑρμῆς ποίει λύραν. καὶ ὁ Ἑρμῆς λυρίζων ᾄδει.

Ἑρμῆς·

  "♫ ὁ ἐμὸς πατήρ ἐστι Ζεύς. ♫ καὶ ὁ ἐμὸς πατήρ ἐστιν ὁ τῶν θεῶν βασιλεύς. ♫ ἡ δ' ἐμὴ μήτηρ ἐστὶ Μαῖα. ♫ καὶ ἡ ἐμὴ μήτηρ ἔχει τὸν

ἑαυτῆς μῆνα⁴. ♫ τῇ γὰρ ἐμῇ μητρί
ἐστιν ὁ Μάϊος μήν. ♫ ἐγὼ δ' εἰμὶ
Ἑρμῆς. ♫ κἀγώ εἰμι θαυμαστός."

ἀλλ' ὁ Ἑρμῆς βούλεται κλέπτειν.

---

⁴ Some ancient Romans believed that the month of May
was named after Maia.

Ἑρμῆς·

"ἐγὼ βούλομαι κλέπτειν..."

"...ἐγὼ ἔλαθον τὴν μητέρα,
οἴκοθεν ἰών..."

"...τὴν μητέρα ἐγὼ δύναμαι
λανθάνειν..."

"...πάντας οὖν τοὺς θεοὺς ἐγὼ
δύναμαι λανθάνειν..."

β΄

Ἑρμῆς καὶ βόες

νυκτὸς οὖν ὁ Ἑρμῆς βούλεται κλέπτειν.

Ἑρμῆς·

> ἐγὼ κλέπτων βούλομαι λανθάνειν τὴν μητέρα. κἀγὼ κλέπτων βούλομαι λανθάνειν πάντας τοὺς θεούς.

θαυμαστὸν δὲ παιδίον ἐστὶν ὁ Ἑρμῆς.
βαδίζειν μὲν γὰρ ὁ Ἑρμῆς δύναται.
διαλέγεσθαι δὲ ὁ Ἑρμῆς δύναται. ᾄδειν δὲ
ὁ Ἑρμῆς δύναται.

Ἑρμῆς·

τῆσδε τῆς νυκτὸς ἐγὼ βούλομαι
οὔτε ᾄδειν οὔτε διαλέγεσθαι.
οἴκοθεν δὲ ἰέναι ἐγὼ βούλομαι
τῆσδε τῆς νυκτός.

ὁ οὖν Ἑρμῆς οἴκοθεν ἔρχεται. οἴκοθεν δὲ
ἰὼν, ὁ Ἑρμῆς λανθάνει τὴν μητέρα. καὶ ὁ
Ἑρμῆς οἴκοθεν ἰὼν λανθάνει πάντας τοὺς
θεούς.

θαυμαστὸν δὲ παιδίον ἐστὶν ὁ Ἑρμῆς. ἰὼν
δὲ ὁ Ἑρμῆς ὁρᾷ ὄρη. ὄρη δὲ ὁ Ἑρμῆς ὁρᾷ
καὶ - βοῦς!

Ἑρμῆς·
    "ἐγὼ ὁρῶ βοῦς!
    κἀγὼ βούλομαι κλέψαι τὰς βοῦς!"

αἱ δὲ βόες εἰσὶ θαυμασταί. ἀλλ᾽ αἱ βόες οὐ
τοῦ Ἑρμοῦ μέν εἰσιν. αἱ γὰρ βόες
Ἀπόλλωνος δέ εἰσιν.

ὁ δὲ Ἀπόλλων ἐστὶν ὁ ἀδελφὸς τοῦ Ἑρμοῦ.
ὁ δὲ Ἑρμῆς τὰς βοῦς κλέπτων βούλεται
λανθάνειν τὸν Ἀπόλλωνα.

Ἑρμῆς·

"αἱ βόες εἰσὶ θαυμασταί! κἀγὼ τὰς
βοῦς κλέπτων βούλομαι λανθάνειν
τοὺς θεούς!"

νυκτὸς δὲ ὁ Ἑρμῆς κλέπτει τὰς βοῦς.
ἀλλ᾽ οὐκ οἴκαδε ὁ Ἑρμῆς ἐλαύνει τὰς βοῦς.
ὁ γὰρ Ἑρμῆς τὰς βοῦς κλέπτων βούλεται
λανθάνειν πάντας τοὺς θεούς.

Ἑρμῆς·

"ἐγὼ κλέπτων λανθάνω τὸν
Ἀπόλλωνα! κἀγὼ κλέπτων λανθάνω
τὴν μητέρα! κἀγὼ κλέπτων λανθάνω
τὸν πατέρα! κἀγὼ κλέπτων λανθάνω
πάντας τοὺς θεούς!"

εἰς δὲ σπήλαιον ὁ Ἑρμῆς ἐλαύνει τὰς βοῦς.

ὁ γὰρ Ἑρμῆς εἰς σπήλαιον τὰς βοῦς

ἐλαύνων λανθάνει πάντας τοὺς θεούς.

Ἑρμῆς·

    "αἱ βόες ἐν σπηλαίῳ οὖσαι[5]

    λανθάνουσι πάντας τοὺς θεούς!"

---

[5] **οὖσαι** - (while) being

γ΄

Ἑρμῆς καὶ Ἀπόλλων

ὁ οὖν Ἑρμῆς τὰς βοῦς κλέψας[6] καὶ
οἴκαδε ἰὼν λανθάνει τοὺς θεούς.

ἀλλ᾽ ἡ Μαῖα ὁρᾷ τὸν Ἑρμήν.

---

[6] **κλέψας** - having stolen, (after) stealing

Μαῖα·

"νυκτὸς σὺ οἴκοθεν ἦλθες!

καὶ νυκτὸς σὺ ἔκλεψας!"

Ἑρμῆς·

"ἐγὼ βούλομαι κλέπτειν, ὦ μῆτερ.

κἀγὼ κλέπτων δύναμαι λανθάνειν

τοὺς θεούς."

ὁ δὲ Ἀπόλλων εἰς τῆς Μαίας καὶ τοῦ Ἑρμοῦ[7]
ἔρχεται.

Ἀπόλλων·

"σύ, ὦ Ἑρμῆ, ἔκλεψας τὰς ἐμὰς βοῦς!

ἀπόδος μοι τὰς βοῦς!"

---

[7] **εἰς Μαίας καὶ Ἑρμοῦ** - into (the home) of Maia and
Hermes

Μαῖα·

"ὦ Ἑρμῆ, τὰς τοῦ
Ἀπόλλωνος βοῦς;!"

ἀλλ' ὁ Ἑρμῆς οὐ διαλέγεται.

Ἀπόλλων·

"διαλέγεσθαι, ὦ Ἑρμῆ, δύνασαι!
ἀπόδος μοι τὰς βοῦς!"

ἀλλ' ὁ Ἑρμῆς οὐ διαλέγεται.

Ἀπόλλων·

"διαλέγεσθαι, ὦ Ἑρμῆ, δύνασαι!"

ἀλλ᾽ ὁ Ἑρμῆς οὐ διαλέγεται. ὁ δὲ Ἀπόλλων
ἔρχεται πρὸς τὸν Ἑρμῆν καὶ -

Ἑρμῆς·

"ἐγώ εἰμι παιδίον, ὦ Ἀπόλλον!
κἀγὼ δύναμαι οὔτε κλέπτειν οὔτε
ἀποδοῦναι τὰς βοῦς. ἐγὼ γὰρ οὐκ
ἔχω τὰς βοῦς!"

Ἀπόλλων·

"ἀλλὰ σὺ δύνασαι βαδίζειν.
καὶ δύνασαι διαλέγεσθαι. σὺ γὰρ εἶ
θαυμαστὸν παιδίον."

Ἑρμῆς·

"ἐγὼ δύναμαι βαδίζειν. κἀγὼ δύναμαι διαλέγεσθαι. κἀγὼ δύναμαι ᾄδειν. ἀλλ' ἐγὼ δύναμαι οὔτε κλέπτειν οὔτε ἀποδοῦναι τὰς βοῦς! ἐγὼ γὰρ οὐκ ἔχω τὰς βοῦς!"

Ἀπόλλων·

"δύνασαι κλέπτειν! τὰς γὰρ ἐμὰς βοῦς ἔκλεψας!"

ὁ δὲ Ἀπόλλων ἔρχεται πρὸς τὸν Ἑρμήν...

Μαῖα·

"ὦ Ἑρμῆ! ὦ Ἀπόλλον! ὦ Ἑρμῆ, ἀπόδος Ἀπόλλωνι τὰς βοῦς!"

ὁ οὖν Ἀπόλλων ἀναλαμβάνει[8] τὸν Ἑρμῆν.

ἀλλ' ὁ Ἑρμῆς ἐστι θαυμαστὸν παιδίον.

ὁ γὰρ Ἑρμῆς πέρδεται[9] καὶ πταίρει[10].

Ἑρμῆς·

> "ἐγὼ οὔτε ἔκλεψα οὔτε δύναμαι
>
> ἀποδοῦναι τὰς βοῦς! ἐγὼ γὰρ οὐκ
>
> ἔχω τὰς βοῦς! κἀγὼ βούλομαι
>
> διαλέγεσθαι τῷ πατρί!"

---

[8] **ἀναλαμβάνει** - picks up

[9] **πέρδεται** - (he) farts

[10] **πταίρει** - (he) sneezes

δ′

Ἑρμῆς καὶ κτήματα θεῶν

ὁ οὖν Ἑρμῆς καὶ ὁ Ἀπόλλων
βούλονται διαλέγεσθαι τῷ πατρί, τῷ Διί.
εἰς δὲ τὸ Ὄλυμπον ὄρος ὁ Ἑρμῆς καὶ ὁ
Ἀπόλλων ἔρχονται.

Πάντες δὲ οἱ θεοί εἰσιν ἐν τῷ Ὀλύμπῳ ὄρει.
Ἥφαιστος δὲ ὁρᾷ τὸν Ἀπόλλωνα.
καὶ ὁ Ἥφαιστος διαλέγεται τῷ Ἀπόλλωνι.

Ἥφαιστος·

"χαῖρε, ὦ Ἄπολλον!"

Ἀπόλλων·

"χαῖρε, ὦ Ἥφαιστε!"

ὁ δὲ Ἑρμῆς ὁρᾷ πάντας τοὺς θεούς.

Ἑρμῆς·

> οἱ θεοὶ ἔχουσι κτήματα! ἐγὼ δὲ
> βούλομαι κλέψαι τὰ τῶν θεῶν
> κτήματα!

ὁ οὖν Ἑρμῆς τὰ τῶν θεῶν κτήματα κλέπτων λανθάνει τὸν διαλεγόμενον Ἀπόλλωνα[11]. καὶ ὁ Ἑρμῆς τόξον[12] τοῦ Ἀπόλλωνος κλέπτων λανθάνει τὸν διαλεγόμενον Ἀπόλλωνα. καὶ Ἑρμῆς βέλη[13] τοῦ Ἀπόλλωνος κλέπτων λανθάνει τὸν διαλεγόμενον Ἀπόλλωνα.

Ποσειδῶνα δὲ ὁ Ἑρμῆς ὁρᾷ.

---

[11] **τὸν διαλεγόμενον Ἀπόλλωνα** - Apollo (as he is) talking

[12] **τόξον** - bow

[13] **βέλη** - arrows

τρίαιναν[14] δὲ ὁ Ποσειδῶν ἔχει.

Ἑρμῆς·

    ἐγὼ βούλομαι ἔχειν τὴν τρίαιναν

    τοῦ Ποσειδῶνος! κἀγὼ βούλομαι

    κλέψαι τὴν τρίαιναν τοῦ

    Ποσειδῶνος!

---

[14] **τρίαιναν** - trident

ὁ δὲ Ἑρμῆς τὴν τρίαιναν κλέπτων λανθάνει
τὸν Ποσειδῶνα.

Ἄρη δὲ ὁ Ἑρμῆς ὁρᾷ.
ξίφος[15] δὲ ὁ Ἄρης ἔχει.

---

[15] **ξίφος** - sword

Ἑρμῆς·

> ἐγὼ βούλομαι ἔχειν τὸ ξίφος τοῦ
> Ἄρεως! κἀγὼ βούλομαι κλέψαι τὸ
> ξίφος τοῦ Ἄρεως!

ὁ δὲ Ἑρμῆς τὸ ξίφος κλέπτων λανθάνει τὸν
Ἄρη.

Ἔρωτα δὲ ὁ Ἑρμῆς ὁρᾷ.

Ἑρμῆς·

> ὁ Ἔρως ἐστὶ παιδίον. κἀγώ εἰμι
> παιδίον. ἀλλ᾽ ἐγὼ κλέπτων οὐ
> δύναμαι λανθάνειν τὸν Ἔρωτα.

Ἑρμῆς·

    "ὦ Ἔρως!

    ἐγὼ βούλομαι παλαίειν[16] σοι!"

Ἔρως·

    "κἀγὼ βούλομαι παλαίειν σοι!"

ὁ δὲ Ἑρμῆς παλαίει[17] τῷ Ἔρωτι. δύο δὲ ἡμέρας γεγονώς[18], ὁ Ἑρμῆς νικᾷ[19] τὸν Ἔρωτα.

Ἀφροδίτη δὲ βούλεται διαλέγεσθαι τῷ Ἑρμῇ. καὶ ἡ Ἀφροδίτη ἔρχεται πρὸς τὸν Ἑρμήν.

---

[16] **παλαίειν** - to wrestle

[17] **παλαίει** - wrestles

[18] **δύο ἡμέρας γεγονώς** - (at) two days old

[19] **νικᾷ** - defeats

24

ὁ δὲ Ἑρμῆς ὁρᾷ τὴν Ἀφροδίτην.

ἡ δὲ Ἀφροδίτη ἔχει κεστόν[20].

Ἑρμῆς·

> ἐγὼ βούλομαι ἔχειν τὸν κεστὸν
> τῆς Ἀφροδίτης! κἀγὼ βούλομαι
> κλέψαι τὸν κεστὸν τῆς Ἀφροδίτης!

---

[20] **κεστόν** - belt

ὁ δὲ Ἑρμῆς τὸν κεστὸν κλέπτων λανθάνει τὴν διαλεγομένην Ἀφροδίτην²¹.

Ἑρμῆς·

ἐγὼ βούλομαι κλέψαι πάντα τὰ κτήματα τῶν θεῶν!

---

²¹ **τὴν διαλεγομένην Ἀφροδίτην** - Aphrodite (as she is) talking

ε'

Ἀπόλλων καὶ Ἥφαιστος

τοῦ οὖν Ἑρμοῦ κλέπτοντος[22],

ὁ Ἀπόλλων διαλέγεται τῷ Ἡφαίστῳ.

Ἀπόλλων·

    "τὸ παιδίον ἐστὶν Ἑρμῆς. ὁ δὲ Ἑρμῆς

    ἐστιν ὁ υἱὸς τοῦ Διὸς καὶ τῆς Μαίας."

Ἥφαιστος·

    "ὁ Ἑρμῆς ἐστι θαυμαστός."

---

[22] **τοῦ... Ἑρμοῦ κλέπτοντος** - while Hermes is stealing

Ἀπόλλων·

"ἀλλ' ὁ Ἑρμῆς δύναται κλέπτειν!"

Ἥφαιστος·

"ἀλλ' ὁ Ἑρμῆς ἐστι παιδίον!
τὰ γὰρ παιδία οὐ δύναται κλέπτειν!"

Ἀπόλλων·

"διαλέχθητι[23] τῷ Ποσειδῶνι!
ὁ γὰρ Ἑρμῆς τὸ κτῆμα κλέπτων ἔλαθε
τὸν Ποσειδῶνα."

Ἥφαιστος·

"τὴν τρίαιναν τοῦ Ποσειδῶνος
ὁ Ἑρμῆς ἔκλεψεν;!"

---

[23] **διαλέχθητι** - talk (to)!

28

Ἀπόλλων·

"καὶ τὸ κτῆμα τοῦ Ἄρεως.

ὁ γὰρ Ἑρμῆς τὸ κτῆμα κλέπτων ἔλαθε

τὸν Ἄρη."

Ἥφαιστος·

"τὸ ξίφος τοῦ Ἄρεως ὁ Ἑρμῆς

ἔκλεψεν;!"

Ἀπόλλων·

"καὶ...τὰ ἐμὰ κτήματα!"

Ἥφαιστος·

"ὁ Ἑρμῆς τὰ κτήματα κλέπτων ἔλαθέ

σε;!"

Ἀπόλλων·

"ὁ Ἑρμῆς τὰς ἐμὰς βοῦς καὶ τὸ τόξον
καὶ τὰ βέλη κλέπτων ἔλαθε ἐμέ!"

Ἥφαιστος·

"ἀλλὰ τὰ παιδία οὐ δύναται
κλέπτειν!"

Ἀπόλλων·

"ἆρα τὰ κτήματα ἔχεις;"

Ἥφαιστος·

"ἔχω."

Ἀπόλλων·

"ἆρα πάντα τά κτήματα;"

Ἥφαιστος·

"οὐκ ἔχω...οὐκ ἔχω τὴν πυράγραν!"

ς'

Ἑρμῆς καὶ κτήματα Διός

ω

Ἑρμῆς·

ἐγὼ ἔκλεψα τὰς βοῦς τοῦ
Ἀπόλλωνος. κἀγὼ ἔκλεψα τὸ
τόξον τοῦ Ἀπόλλωνος. κἀγὼ
ἔκλεψα τὰ βέλη τοῦ Ἀπόλλωνος.
κἀγὼ ἔκλεψα τὴν τρίαιναν τοῦ
Ποσειδῶνος. κἀγὼ ἔκλεψα τὸ
ξίφος τοῦ Ἄρεως. κἀγὼ ἔκλεψα
τὸν κεστὸν τῆς Ἀφροδίτης. κἀγὼ
ἔκλεψα τὴν πυράγραν τοῦ

32

Ἡφαίστου. κἀγὼ βούλομαι

κλέπτειν!

ὁ οὖν Ἑρμῆς ὁρᾷ τὸν βασιλέα.

Ἑρμῆς·

ἐγὼ βούλομαι κλέψαι τὰ κτήματα

τοῦ τῶν θεῶν βασιλέως! κἀγὼ

βούλομαι κλέψαι τὰ κτήματα τοῦ

πατρός! κἀγὼ βούλομαι κλέψαι τὰ

κτήματα τοῦ Διός!

πρὸς δὲ τὸν Δία ὁ Ἑρμῆς ἔρχεται.

Ἑρμῆς·

I want to have the Scepter

ἐγὼ βούλομαι ἔχειν τὸ σκῆπτρον[24]

of the father and I want

τοῦ πατρός! κἀγὼ βούλομαι

to steal the Scepter of the father

κλέψαι τὸ σκῆπτρον τοῦ πατρός!

but Zeus sees the Son

ὁ δὲ Ζεὺς ὁρᾷ τὸν υἱόν.

---

[24] **σκῆπτρον** - scepter

Ζεὺς·

Rejoice O Hermes! You are amazing

"χαῖρε, ὦ Ἑρμῆ! σὺ εἶ θαυμαστὸν

Child and you are amazing clever

παιδίον. καὶ σὺ εἶ θαυμαστὸς υἱός.

At two days old   you are able

δύο δὲ ἡμέρας γεγονὼς σὺ δύνασαι

to walk and able   to talk

βαδίζειν. καὶ δύνασαι διαλέγεσθαι.

and able to sing   and I want

καὶ δύνασαι ᾄδειν. ἐγὼ δὲ βούλομαί

you to sing.

σε ᾄδειν."

Ἑρμῆς·

Rejoice O father. I wrote the lyre.

"χαῖρε, ὦ πάτερ! ἐγὼ ἐποίησα λύραν.

and I want to sing.

κἀγὼ βούλομαι ᾄδειν."

Ἑρμῆς·

O my father is Zeus and

"♫ ὁ ἐμὸς πατήρ ἐστι Ζεύς. ♫ καὶ ὁ

B my father is the King of the gods.

ἐμὸς πατήρ ἐστιν ὁ τῶν θεῶν

and my mother is Maia.

βασιλεύς. ♫ ἡ δ' ἐμὴ μήτηρ ἐστὶ Μαῖα.

and my mother has the month of her own

♫ καὶ ἡ ἐμὴ μήτηρ ἔχει τὸν ἑαυτῆς

Μῆνα seem like
it should be fem,
but it takes masculine
definite art.

μῆνα. ♫ τῇ γὰρ ἐμῇ μητρί ἐστιν ὁ
Μᾶῖος μήν. ♫ ἐγὼ δ᾽ εἰμὶ Ἑρμῆς. ♫
κἀγὼ εἰμι θαυμαστός!"

ὁ δὲ Ζεὺς γελᾷ. γελῶν δὲ ὁ Ζεὺς οὐ δύναται
ἰδεῖν τὸν Ἑρμήν.

ὁ δὲ Ἑρμῆς ἔρχεται πρὸς τὸν Δία.
ὁ γὰρ Ἑρμῆς βούλεται κλέψαι τὰ κτήματα
τοῦ Διός. καὶ ὁ Ἑρμῆς τὸ σκῆπτρον τοῦ
Διὸς κλέπτων λανθάνει τὸν γελῶντα[25] Δία.
τὸν δὲ κεραυνὸν[26] τοῦ Διὸς ὁ Ἑρμῆς ὁρᾷ.

---

[25] τὸν γελῶντα Δία - Zeus (as he is) laughing

[26] κεραυνόν - thunderbolt

Ἑρμῆς·

I wish to have the thunderbolt

ἐγὼ βούλομαι ἔχειν τὸν κεραυνὸν

I form roof the father. and I want
I don't

τοῦ πατρός! κἀγὼ βούλομαι

to steal the thunderbolt of father

κλέψαι τὸν κεραυνὸν τοῦ πατρός!

☆ Not sure why this is inf.
but the thunderbolt of Zeus, is amazing.

ἀλλ' ὁ κεραυνός ἐστι θαυμαστός.

Ἑρμῆς·

My father's thunderbolt is too

ἄγαν βαρύς ἐστιν ὁ κεραυνὸς τοῦ

heavier and my father's thunderbolt

πατρός! καὶ ὁ κεραυνὸς τοῦ

is too, hot. And I

πατρός ἐστιν ἄγαν θερμός! ἐγὼ δὲ

am not able to steal my father's

τὸν κεραυνὸν τοῦ πατρὸς οὐ

thunderbolt,

δύναμαι κλέψαι!

For Hermes is not able to steal
all.

πάντα γὰρ ὁ Ἑρμῆς οὐ δύναται κλέπτειν.

ζ΄

Παίγνιον

τοῦ οὖν Ἑρμοῦ κλέπτοντος,
ὁ Ἀπόλλων διαλέγεται τῷ Ἡφαίστῳ.

Ἥφαιστος·

"τὴν ἐμὴν πυράγραν ὁ Ἑρμῆς
ἔκλεψεν!"

Ἀπόλλων·

"ὁ Ἑρμῆς δύναται κλέπτειν.

ὁ γὰρ Ἑρμῆς ἐστι θαυμαστὸν παιδίον.

καὶ ὁ Ἑρμῆς δύναται ᾄδειν."

Ἥφαιστος·

"ᾄδειν δύναται;!"

Ἀπόλλων·

"ᾄδειν δύναται. ὁ γὰρ Ἑρμῆς ἐκ

χελώνης ἔποιησε λύραν. καὶ ὁ Ἑρμῆς

λυρίζων ᾄδει. κἀγὼ βούλομαι

λυρίζειν²⁷."

Ἥφαιστος·

"ὁ Ἑρμῆς ἐστι θαυμαστὸν παιδίον."

---

²⁷ **λυρίζειν** - to play the lyre

Ἀπόλλων·

"ἡ Μαῖα ἔχει θαυμαστὸν υἱόν. νυκτὸς δὲ ὁ Ἑρμῆς οἴκοθεν ἐλθὼν²⁸ κλέπτει."

Ἥφαιστος·

"καὶ τὴν ἐμὴν πυράγραν ὁ Ἑρμῆς ἔκλεψεν!"

Ἀπόλλων·

"καὶ τὰς ἐμὰς βοῦς καὶ τὸ τόξον καὶ τὰ βέλη ὁ Ἑρμῆς ἔκλεψεν!"

Ἀφροδίτη·

"τὴν μὲν πυράγραν, ὦ Ἥφαιστε, οὐκ ἔχεις;! τὸν δὲ κεστὸν οὐκ ἔχω!"

---

²⁸ **ἐλθών** - having gone, (after) going

Ποσειδῶν·

   "τὴν δὲ τρίαιναν οὐκ ἔχω!"

Ἄρης·

   "τὸ δὲ ξίφος οὐκ ἔχω!"

Ἀπόλλων·

   "τὸ δὲ σκῆπτρον ὁ Ζεὺς οὐκ ἔχει!"

   ...

   "...ἡμεῖς δὲ πάντες βουλόμεθα τὸν

   Ἑρμὴν τὰ κτήματα ἀποδοῦναι.

   ὁ δὲ Ἑρμῆς ἐστι παιδίον. τὰ δὲ παιδία

   βούλεται ἔχειν παίγνια..."

Ἥφαιστος·

"παίγνιον ἐγὼ δύναμαι ποιῆσαι…"

ὁ δὲ Ἥφαιστος ποίει παίγνιον.

Ποσειδῶν·

"οὐκ ἔστι τρίαινα."

Ἀφροδίτη·

"οὐκ ἔστι σκῆπτρον."

Ἀπόλλων·

"ἆρα θαυμαστόν ἐστι τὸ παίγνιον;"

Ἥφαιστος·

"τὸ παίγνιόν ἐστι ῥάβδος[29].

τὴν δὲ ῥάβδον ὁ Ἑρμῆς βουλήσεται

ἔχειν! τὰ δὲ κτήματα ὁ Ἑρμῆς

βουλήσεται ἀποδοῦναι!"

---

[29] **ῥάβδος** - staff (similar to a magic wand)

η'

Σκῆτρον Διός

ὁ οὖν Ζεὺς γελάσας οὐχ ὁρᾷ τὸν
Ἑρμήν.

Ζεύς·

> τὸν μὲν Ἑρμὴν οὐχ ὁρῶ. τὸν δὲ
> Ἔρωτα ὁρῶ. τὴν δὲ Ἀφροδίτην
> ὁρῶ. τὸν δὲ Ἄρη ὁρῶ. τὸν δὲ
> Ποσειδῶνα ὁρῶ. τὸν δὲ Ἥφαιστον
> ὁρῶ. τὸν δὲ Ἀπόλλωνα ὁρῶ.

44

ὁ οὖν Ζεὺς τὸν μὲν κεραυνὸν ὁρᾷ...τὸ δὲ
σκῆπτρον...

Ζεύς·
    "τὸ σκῆπτρον οὐχ ὁρῶ!
    τὸ γὰρ σκῆπτρον οὐκ ἔχω!"

Ἀπόλλων·
    "καὶ τὰ κτήματα τοῦ Διὸς ἔκλεψεν ὁ
    Ἑρμῆς!"

πάντες δὲ οἱ θεοὶ ἔρχονται πρὸς τὸν Δία.

Ἀπόλλων·
    "ὁ Ἑρμῆς, ὦ Ζεῦ, τὸ σκῆπτρον
    ἔκλεψεν! καὶ τὰς ἐμὰς βοῦς καὶ τὸ
    τόξον καὶ τὰ βέλη ἔκλεψεν!"

Ἥφαιστος·

"καὶ τὴν ἐμὴν πυράγραν, ὦ Ζεῦ,
ὁ Ἑρμῆς ἔκλεψεν!"

Ἀφροδίτη·

"καὶ τὸν ἐμὸν κεστόν, ὦ Ζεῦ, ὁ Ἑρμῆς
ἔκλεψεν!"

Ἄρης·

"καὶ τὸ ἐμὸν ξίφος, ὦ Ζεῦ, ὁ Ἑρμῆς
ἔκλεψεν!"

Ποσειδῶν·

"καὶ τὴν ἐμὴν τρίαιναν, ὦ ἄδελφε,
ὁ Ἑρμῆς ἔκλεψεν!"

Ἑρμῆς·

"ὦ πάτερ, ἐγὼ οὐκ ἔκλεψα!"

Ζεύς·

"ἀπόδος, ὦ Ἑρμῆ, πάντα τὰ κτήματα."

Ἑρμῆς·

"ἀλλ᾽ ἐγώ εἰμι παιδίον, ὦ πάτερ. τὰ γὰρ παιδία οὐ δύναται κλέπτειν."

Ζεύς·

"ἀλλὰ σὺ εἶ θαυμαστὸν παιδίον. καὶ σὺ ἔκλεψας."

Ἑρμῆς·

"ἐγὼ οὐ δύναμαι ἀποδοῦναι κτήματα.
ἐγὼ γὰρ οὐκ ἔχω κτήματα."

Ἀπόλλων·

"παίγνιον, ὦ Ἑρμῆ, ἔχω."

Ἑρμῆς·

"παίγνιον;! τὸ παίγνιον ἐγὼ βούλομαι
ἔχειν!"

Ζεύς·

"τὰ κτήματα ἀποδούς[30], ὦ Ἑρμῆ, τὸ
παίγνιον σὺ ἕξεις."

---

[30] **ἀποδούς** - having given back, (after) giving back

Ἑρμῆς·

"ἐγὼ βούλομαι ἔχειν τὸ παίγνιον,
ὦ πάτερ! κἀγὼ ἀποδώσω τὰ
κτήματα! τὸ δὲ σκῆπτρον, ὦ πάτερ,
ἐγὼ ἀποδίδωμι!"

τὸ δὲ σκῆπτρον ὁ Ἑρμῆς ἀποδίδωσι τῷ Διί.

Ἑρμῆς·

"καὶ τὸν κεστόν, ὦ Ἀφροδίτη, ἐγὼ
ἀποδίδωμι!"

τὸν δὲ κεστὸν ὁ Ἑρμῆς ἀποδίδωσι τῇ
Ἀφροδίτῃ.

Ἑρμῆς·

"καὶ τὴν τρίαιναν, ὦ Πόσειδον, ἐγὼ ἀποδίδωμι!"

τὴν δὲ τρίαιναν ὁ Ἑρμῆς ἀποδίδωσι τῷ Ποσειδῶνι.

Ἑρμῆς·

"καὶ τὸ ξίφος, ὦ Ἄρες, ἐγὼ ἀποδίδωμι!"

τὸ δὲ ξίφος ὁ Ἑρμῆς ἀποδίδωσι τῷ Ἄρει.

Ἑρμῆς·

"καὶ τὴν πυράγραν, ὦ Ἥφαιστε, ἐγὼ ἀποδίδωμι!"

τὴν δὲ πυράγραν ὁ Ἑρμῆς ἀποδίδωσι τῷ
Ἡφαίστῳ.

Ἥφαιστος·
   "ἐγώ, ὦ Ἑρμῆ, τὸ παίγνιον ἐποίησα.
   σὺ γὰρ θαυμαστὸν παιδίον."

Ἑρμῆς·
   "ἐγὼ βούλομαι ἔχειν τὸ παίγνιον! ἐγὼ
   γὰρ ἀπέδωκα πάντα τὰ κτήματα!"

Ἀπόλλων·
   "πάντα;!"

Ἑρμῆς·
   "καὶ τὸ τόξον καὶ τὰ βέλη, ὦ
   Ἄπολλον, ἐγὼ ἀποδίδωμι!"

Ἀπόλλων·

"καί...;"

Ἑρμῆς·

"ἐγὼ βούλομαι ἔχειν τὸ παίγνιον! ἐγὼ
γὰρ ἀπέδωκα πάντα τὰ κτήματα!"

Ἀπόλλων·

"καὶ τὰς βοῦς;!"

Ἑρμῆς·

"ἴωμεν³¹!"

---

³¹ **ἴωμεν** - let's go!

θ'

Λύρα καὶ ῥάβδος

ὁ οὖν Ἑρμῆς καὶ ὁ Ἀπόλλων ἐλθόντες
ὁρῶσι τὰς βοῦς. ἐκ δὲ τοῦ σπηλαίου ὁ
Ἑρμῆς ἐλαύνει τὰς βοῦς.

Ἑρμῆς·
    "τὰς βοῦς, ὦ Ἄπολλον, ἐγὼ
    ἀποδίδωμι!"

τὰς δὲ βοῦς ὁ Ἑρμῆς ἀποδίδωσι τῷ
Ἀπόλλωνι.

Ἀπόλλων·

"ταῖς βουσὶ χαίρω!"

Ἑρμῆς·

"κἀγὼ χαίρω, ὦ ἄδελφε."

ἀλλ’ ὁ Ἀπόλλων οὐ χαίρει.

Ἀπόλλων·

"σὺ οὐκ εἶ ὁ ἐμὸς ἀδελφός.
σὺ γὰρ τὰ ἐμὰ κτήματα ἔκλεψας."

ὁ δὲ Ἑρμῆς οὐ χαίρει. ἀλλ’ ὁ Ἑρμῆς
βούλεται τὸν Ἀπόλλωνα χαίρειν.
ὁ οὖν Ἑρμῆς λυρίζων ᾄδει.

Ἑρμῆς·

"♫ ἐγὼ ᾄδω Μνημοσύνην.

♫ ἡ γὰρ Μνημοσύνη ἐστὶν ἡ τῶν

Μουσῶν μήτηρ. ♫ κἀγὼ ᾄδω τὰς

Μούσας. ♫ αἱ γὰρ Μοῦσαι ᾄδουσι.

♫ κἀγὼ ᾄδω Ἀπόλλωνα.

♫ ὁ γὰρ Ἀπόλλων ᾄδει μετὰ τῶν

Μουσῶν. ♫ καὶ ὁ Ἀπόλλων ἐστὶν ὁ

ἐμὸς ἀδελφός!"

ὁ δὲ Ἀπόλλων χαίρει.

Ἀπόλλων·

"χαίρω, ὦ Ἑρμῆ! σὺ γὰρ εἶ θαυμαστὸν

παιδίον! καὶ ἡ λύρα ἐστὶ θαυμαστή!"

Ἑρμῆς·

"τὴν λύραν σοι, ὦ ἄδελφε, ἐγὼ
βούλομαι δοῦναι."

τὴν δὲ λύραν ὁ Ἑρμῆς δίδωσι τῷ Ἀπόλλωνι.

Ἀπόλλων·

"λυρίζων ᾄσομαι μετὰ τῶν Μουσῶν!
καὶ ἡμεῖς ᾀσόμεθα τὸν Ἑρμήν!
ὁ γὰρ ἐμὸς ἀδελφός ἐστιν ὁ Ἑρμῆς!"

Ἑρμῆς·

"ἐγὼ χαίρω!"

Ἀπόλλων·

"τὸ δὲ παίγνιόν σοι δοῦναι βούλομαι.
τὸ γὰρ παίγνιόν ἐστι ῥάβδος."

τὴν δὲ ῥάβδον ὁ Ἀπόλλων δίδωσι τῷ Ἑρμῇ.

Ἑρμῆς·
  "τῇ ῥάβδῳ ἐγὼ χαίρω!"

Ἀπόλλων·
  "καὶ τὰς βοῦς σοι δοῦναι βούλομαι.
  σὺ γὰρ τῇ ῥάβδῳ δύνασαι ἐλαύνειν
  τὰς βοῦς."

Ἑρμῆς·
  "ἐγὼ τῇ ῥάβδῳ βούλομαι ἐλαύνειν
  τὰς βοῦς!"

καὶ ὁ Ἑρμῆς καὶ ὁ Ἀπόλλων χαίρουσι.
τὴν μὲν γὰρ λύραν ὁ Ἀπόλλων ἔχει, τὴν δὲ
ῥάβδον ὁ Ἑρμῆς ἔχει.

Ἑρμῆς·

(ἐγὼ οὐ βούλομαι οἴκαδε ἰέναι!

ἐγὼ γὰρ βούλομαι...)

Λέξεις

Α

ἄγαν - too

    ἄγαν βαρύς ἐστιν ὁ κεραυνὸς τοῦ πατρός. - My father's thunderbolt is *too* heavy.

ἀδελφός, ἄδελφε - brother

αἱ - the

ᾄδει - sings (about)

ᾄδειν - to sing

ᾄδουσι - (they) sing

ᾄδω - I sing (about)

    ἐγὼ ᾄδω Μνημοσύνην. - I *sing about* Mnemosyne.

ᾄσομαι - I will sing

ᾀσόμεθα - we will sing (about)

ἀλλά, ἀλλ' - but

ἀναλαμβάνει - picks up

ἀπέδωκα - I gave back

ἀποδίδωμι - I give back

ἀποδίδωσι, ἀποδίδωσιν - gives back

ἀπόδος - give back!

ἀποδοῦναι - to give back

ἀποδούς - having given back, (after) giving back

ἀποδώσω - I will give back

ἀποκτείνει - kills

Ἀπόλλων, Ἀπόλλωνα - Apollo (*the god of music and prophecy*)

> **ὁ δὲ Ἀπόλλων ἐστὶν ὁ ἀδελφὸς τοῦ Ἑρμοῦ.** - *Apollo* is the brother of Hermes.
>
> **ὁ δὲ Ἑρμῆς τὰς βοῦς κλέπτων βούλεται λανθάνειν τὸν Ἀπόλλωνα.** - Hermes, while stealing the cattle, goes unnoticed by *Apollo*.
>
> **Ἀπόλλωνος** - of Apollo, Apollo's
>
> **καὶ ὁ Ἑρμῆς τόξον τοῦ Ἀπόλλωνος κλέπτων λανθάνει τὸν διαλεγόμενον Ἀπόλλωνα.** - Hermes, while stealing *Apollo's* bow, goes unnoticed by Apollo while Apollo is talking.
>
> **Ἀπόλλωνι** - to Apollo
>
> **καὶ ὁ Ἥφαιστος διαλέγεται τῷ Ἀπόλλωνι.** - Hephaestus talks *to Apollo*.
>
> **Ἄπόλλον** - Apollo (*when called by name*)
>
> **ἐγώ εἰμι παιδίον, ὦ Ἄπόλλον!** - I am a child, *Apollo!*

ἆρα - (*indicates a yes/no question*)

Ἄρης, Ἄρη - Ares (*the god of war*)

ξίφος δὲ ὁ Ἄρης ἔχει. - *Ares* has a sword.

ὁ δὲ Ἑρμῆς τὸ ξίφος κλέπτων λανθάνει τὸν Ἄρη. - Hermes, while stealing the sword, goes unnoticed by *Ares*.

Ἄρεως - of Ares, Ares'

ἐγὼ βούλομαι ἔχειν τὸ ξίφος τοῦ Ἄρεως! - I want to have *Ares'* sword!

Ἄρει - to Ares

τὸ δὲ ξίφος ὁ Ἑρμῆς ἀποδίδωσι τῷ Ἄρει. - Hermes gives the sword back *to Ares*.

Ἄρες - Ares (*when called by name*)

καὶ τὸ ξίφος, ὦ Ἄρες, ἐγὼ ἀποδίδωμι! - I am giving the sword back, *Ares*.

Ἀφροδίτη, Ἀφροδίτην - Aphrodite (*the goddess of love*)

καὶ ἡ Ἀφροδίτη ἔρχεται πρὸς τὸν Ἑρμήν. - *Aphrodite* goes toward Hermes.

ὁ δὲ Ἑρμῆς ὁρᾷ τὴν Ἀφροδίτην. - Hermes sees *Aphrodite*.

Ἀφροδίτη - to Aphrodite

τὸν δὲ κεστὸν ὁ Ἑρμῆς ἀποδίδωσιν τῇ Ἀφροδίτη. - Hermes gives the belt back *to Aphrodite*.

Ἀφροδίτης - of Aphrodite, Aphrodite's

ἐγὼ βούλομαι ἔχειν τὸν κεστὸν τῆς Ἀφροδίτης!

- I want to have *Aphrodite's* belt!

Β

βαδίζειν - to walk

βαρύς - heavy

βασιλεύς, βασιλέα - king

βασιλέως - (of the) king, the king's

βέλη - arrows (*one of Apollo's symbols*)

βόες, βοῦς, βουσί - cattle

βούλεται - wants, (they) want

βουλήσεται - (he) will want

βούλομαι - I want

βουλόμεθα - we want

βούλονται - (they) want

Γ

γάρ - for, because (*explains the previous sentence, never the first word in a sentence*)

γεγονώς - (having been) born

    δύο ἡμέρας γεγονώς - two days old

γελᾷ - laughs

γελάσας - having laughed, after laughing

γελῶν, γελῶντα - (while) laughing

Δ

δέ, δ' - and, but (*never the first word in a sentence*)

Δία, Διός, Διί (see Ζεύς)

διαλέγεσθαι - to talk, to have a conversation with

διαλέγεται - talks, has a conversation with

διαλεγομένην, διαλεγόμενον - (while) talking

 καὶ ὁ Ἑρμῆς τόξον τοῦ Ἀπόλλωνος κλέπτων

 λανθάνει τὸν διαλεγόμενον Ἀπόλλωνα. -

 Hermes, while stealing Apollo's bow, goes

 unnoticed by *Apollo while Apollo is talking.*

διαλέχθητι - talk!

δίδωσι - gives

δοῦναι - to give

δύναμαι - I can

δύνασαι - you can

δύναται - (they) can

δύο - two

E

ἑαυτῆς - of her own

ἐγένετο - (he) was born

ἐγώ - I

εἰμί - I am

εἰς - into

εἰσί, εἰσίν - (they) are

ἐκ - out of, from

ἔκλεψα - I stole

ἔκλεψας - you stole

ἔκλεψεν - (he) stole

ἔλαθε - (he) went unnoticed by (*someone*)

ἔλαθον - I went unnoticed by (*someone*)

ἐλαύνει - drives (cattle)

ἐλαύνειν - to drive (cattle)

ἐλαύνων - (while) driving (cattle)

ἐλθόντες, ἐλθών - having gone, after going

ἐμά, ἐμάς, ἐμή, ἐμῇ, ἐμήν, ἐμόν, ἐμός - my, of mine

ἐμέ - me

ἐν - in, on

ἕξεις - you will have

ἐποίησα - I made

ἐποίησε - (he) made

Ἑρμῆς, Ἑρμήν - Hermes (*the messenger god*)

τήμερον δὲ ὁ Ἑρμῆς ἐγένετο ἐν τῷ ὄρει τῇ Κυλλήνῃ. - Today *Hermes* was born on Mount Cyllene.

ἀλλὰ ἡ Μαῖα ὁρᾷ τὸν Ἑρμήν. - But Maia sees *Hermes*.

Ἑρμῆ - to Hermes

Ἀφροδίτη δὲ βούλεται διαλέγεσθαι τῷ Ἑρμῆ. - Aphrodite wants to talk *to Hermes*.

Ἑρμοῦ - of Hermes

καὶ ἡ μήτηρ μὲν οἰκεῖ μετὰ τοῦ Ἑρμοῦ. - The mother lives with *Hermes*.

Ἑρμῆ - Hermes (*when called by name*)

σύ, ὦ Ἑρμῆ, ἔκλεψας τὰς ἐμὰς βοῦς! - You, *Hermes*, stole my cattle!

ἔρχεται - goes, comes

ἔρχονται - (they) go

Ἔρως, Ἔρωτα, Ἔρωτι - Eros (*the god of love, son of Aphrodite*)

ὁ Ἔρως ἐστὶ παιδίον. *Eros* is a child.

Ἔρωτα δὲ ὁ Ἑρμῆς ὁρᾷ. - Hermes sees *Eros*.

ὁ δὲ Ἑρμῆς παλαίει τῷ Ἔρωτι. - Hermes wrestles *Eros*.

ἐστί, ἐστίν - is

ἔχει - has

ἔχειν - to have

ἔχεις - you have

ἔχω - I have

Z

Ζεύς, Δία - Zeus (*the king of the gods, the god of the sky and lightning*)

> **ὁ δὲ Ζεύς ἐστιν ὁ πατὴρ τοῦ παιδίου.** - *Zeus* is the father of the child.
>
> **πρὸς δὲ τὸν Δία ὁ Ἑρμῆς ἔρχεται.** - Hermes then goes toward *Zeus*.
>
> **Διός** - of Zeus, Zeus'
>
> **τοῦτο δὲ τὸ παιδίον ἐστὶν ὁ υἱὸς Διὸς καὶ Μαίας.** - This child is the son *of Zeus* and Maia.
>
> **Διί** - to Zeus
>
> **ὁ οὖν Ἑρμῆς καὶ ὁ Ἀπόλλων βούλονται διαλέγεσθαι τῷ πατρί, τῷ Διί.** - Then Hermes and Apollo want to talk *to* their father, [*to*] *Zeus*.
>
> **Ζεῦ** - Zeus (*when called by name*)
>
> **ὁ Ἑρμῆς, ὦ Ζεῦ, τὸ σκῆπτρον ἔκλεψεν!** - *Zeus*, Hermes stole the scepter!

H

ἡ - the (*left untranslated with names*)

ἦλθες - you went

ἡμεῖς - we

ἡμέρας - days

Ἥφαιστος, Ἥφαιστον - Hephaestus (*the god of fire and smith of the gods*)

> Ἥφαιστος δὲ ὁρᾷ τὸν Ἀπόλλωνα. - *Hephaestus sees Apollo.*
>
> τὸν δὲ Ἥφαιστον ὁρῶ. - I see *Hephaestus.*
>
> Ἡφαίστου - of Hephaestus, Hephaestus'
>
> κἀγὼ ἔκλεψα τὴν πυράγραν τοῦ Ἡφαίστου. - I also stole *Hephaestus'* tongs.
>
> Ἡφαίστῳ - to Hephaestus
>
> τοῦ οὖν Ἑρμοῦ κλέπτοντος, ὁ Ἀπόλλων διαλέγεται τῷ Ἡφαίστῳ. - Then, while Hermes is stealing, Apollo talks *to Hephaestus.*
>
> Ἥφαιστε - Hephaetus (*when called by name*)
>
> χαῖρε, ὦ Ἥφαιστε! - Hello, *Hephaestus!*

I

ἰδεῖν - to see

ἰέναι - to go, to come

ἴωμεν - let's go!

ἰών - (while) going, coming

Θ

θαυμαστή, θαυμαστόν, θαυμαστός - extraordinary, amazing

θεοί, θεούς - the gods

θερμός - hot

θεῶν - of the gods, the gods'

Κ

κἀγώ (καί + ἐγώ) - and I, I also

καί - and, also

    καί...καί... - both...and...

κεραυνός, κεραυνόν - thunderbolt (*one of Zeus' symbols*)

κεστόν - the cestus (*Aphrodite's magical belt, one of her symbols*)

κλέπτει - steals

κλέπτειν - to steal, to be stealing

κλέπτων - (while) stealing

κλέψαι - to steal

κλεψας - having stolen, after stealing

κτῆμα - possession

κτήματα - possessions

Κυλλήνη - Mount Cyllene (*the mountain in Greece where Hermes was born*)

Λ

λανθάνει - goes unnoticed by (*someone*)

λανθάνειν - to go unnoticed by (*someone*)

λανθάνουσι - (they) go unnoticed by (*someone*)

λανθάνω - I go noticed by (*someone*)

λύρα, λύραν - lyre (*the harp that Hermes makes, later one of Apollo's symbols*)

λυρίζειν - to play the lyre

λυρίζων - (while) playing the lyre

Μ

Μαῖα - Maia (*the leader of the Pleiades, a group of star nymphs*)

> **ἡ μὲν γὰρ Μαῖά ἐστιν ἡ μήτηρ τοῦ παιδίου.** - For *Maia* is the mother of the child.

> **Μαίας** - of Maia, Maia's

> **τοῦτο δὲ τὸ παιδίον ἐστὶν ὁ υἱὸς Διὸς καὶ Μαίας.** - This child is the son of Zeus and *of Maia*.

Μάϊος - (the month of) May

μέν - on the one hand

μετά - with

μήν, μῆνα - month

μήτηρ, μῆτερ, μητέρα - mother

μητρί - (for the) mother

> **τῇ γὰρ ἐμῇ μητρί ἐστιν ὁ Μάϊος μήν.** - The
> month of May is *for my mother* (i.e. my mother has
> the month of May).

Μνημοσύνη, Μνημοσύνην - Mnemosyne (*the goddess of
memory, mother of the Muses*)

> **ἡ γὰρ Μνημοσύνη ἐστὶν ἡ τῶν Μουσῶν μήτηρ.** -
> *Mnemosyne* is the mother of the Muses.

> **ἐγὼ ᾄδω Μνημοσύνην.** - I sing about *Mnemosyne*.

μοί - to me

Μοῦσαι, Μούσας - the Muses (*the goddesses of the arts*)

> **αἱ γὰρ Μοῦσαι ᾄδουσι.** - The *Muses* sing.

> **κἀγὼ ᾄδω τὰς Μούσας.** - And I will sing about the
> *Muses*.

> **Μουσῶν** - of the Muses

> **ἡ γὰρ Μνημοσύνη ἐστὶν ἡ τῶν Μουσῶν μήτηρ.** -
> Mnemosyne is the mother of the *Muses*.

> **ὁ γὰρ Ἀπόλλων ᾄδει μετὰ τῶν Μουσῶν.** - Apollo
> sings with the *Muses*.

N

νικᾷ - defeats

νυκτός - at night

Ξ

ξίφος - sword (*one of Ares' symbols*)

Ο

ὁ - the (*left untranslated with names*)

οἴκαδε - (to) home

οἰκεῖ - lives (in a place)

οἴκοθεν - from home

Ὄλυμπον, Ὀλύμπῳ - Mount Olympus (*the mountain in Greece where the gods live*)

ὄνομα - name

ὁρᾷ - sees

ὄρει, ὄρος - mountain

ὄρη - mountains

ὁρῶ - I see

ὁρῶσι - (they) see

οὐ, οὐκ, οὐχ - not

οὖν - then

οὖσαι - (while) being

οὔτε...οὔτε... - neither...nor...

Π

παιδία - children

παιδίον - child

παιδίου - (of the) child, the child's

παιδίῳ - (for the) child

> **Ἑρμῆς δέ ἐστι τῷ παιδίῳ ὄνομα.** - The *child's* name is Hermes.

παίγνια - toys

παίγνιον - toy

παλαίει - wrestles

παλαίειν - to wrestle

πάντα - everything

πάντας, πάντες - all

πατήρ, πάτερ - father

πατρί - (to the) father

πατρός - (of the) father, the father's

πέρδεται - (he) farts

ποίει - makes

Ποσειδῶν, Ποσειδῶνα - Poseidon (*the god of the sea*)

> **τρίαιναν δὲ ὁ Ποσειδῶν ἔχει.** - *Poseidon* has a trident.

Ποσειδῶνα δὲ ὁ Ἑρμῆς ὁρᾷ. - Hermes sees *Poseidon.*

Ποσειδῶνι - to Poseidon

διαλέχθητι τῷ Ποσειδῶνι! - Talk *to Poseidon!*

Ποσειδῶνος - of Poseidon, Poseidon's

ἐγὼ βούλομαι ἔχειν τὴν τρίαιναν τοῦ Ποσειδῶνος! - I want to have the trident *of Poseidon!*

Πόσειδον - Poseidon (*when called by name*)

καὶ τὴν τρίαιναν, ὦ Πόσειδον, ἐγὼ ἀποδίδωμι! - I am also giving back the trident, *Poseidon!*

πρός - toward

πταίρει - (he) sneezes

πυράγραν - tongs (*one of Hephaestus' symbols*)

Ρ

ῥάβδος, ῥάβδον - staff (*Hermes' magical wand*)

ῥάβδῳ - (with the) staff

σὺ γὰρ τῇ ῥάβδῳ δύνασαι ἐλαύνειν τὰς βοῦς. - For you can drive the cattle *with the staff.*

Σ

σέ - you

σοί - to you

σκῆπτρον - scepter (*one of Zeus' symbols*)

σπήλαιον, σπηλαίου, σπηλαίῳ - cave

σύ - you

T

ταῖς - with the

> **ταῖς βουσὶ χαίρω!** - I am delighted *with the* cows.

τάς - the

τῇ - for the, with the (*left untranslated with names*)

> **τῇ γὰρ ἐμῇ μητρί ἐστιν ὁ Μάϊος μήν.** - The
> month of May is for my mother (i.e. my mother has
> the month of May).

τήμερον - today

τήν - the (*left untranslated with names*)

τῆς - of the (*left untranslated with names*)

> **ἐκ δὲ τῆς χελώνης Ἑρμῆς ποίει λύραν.** - Hermes
> makes the lyre out of *the* tortoise.

τῆσδε - this

> **τῆσδε τῆς νυκτός** - tonight

τι - a certain (*follows the word it describes*)

> **τήμερον παιδίον τι ἐγένετο.** - Today *a certain*
> child was born.

τό, τόν - the (*left untranslated with names*)

τόξον - bow (*as in "bow and arrow," one of Apollo's symbols*)

τοῦ - of the (*left untranslated with names*)

τούς - the

τοῦτο - this

τρίαινα, τρίαιναν - the trident (*Poseidon's three-pronged fishing spear, his symbol*)

τῷ - for the, to the, with the (*left untranslated with names*)

> **Ἑρμῆς δέ ἐστι τῷ παιδίῳ ὄνομα.** - *The* child's name is Hermes.

τῶν - of the

Υ

υἱός, υἱόν - son

Χ

χαῖρε - hello

χαίρει - is delighted

χαίρειν - to be delighted

χαίρουσι - (they) are delighted

χαίρω - I am delighted

> **ταῖς βουσὶ χαίρω.** - *I am delighted* with the cattle.

χελώνη, χελώνην, χελώνης - tortoise

Ω

ὦ - *(used when calling someone by name)*